D1317047

UN JOUR, NAGE-VITE LE MANCHOT QUITTA LE PÔLE SUD ET TRAVERSA LES OCÉANS POUR RENDRE VISITE À SON COUSIN, PLONGE-BIEN LE PINGOUIN, AU PÔLE NORD.

ILS DEVINRENT DES AMIS INSÉPARABLES.

ET DEPUIS CE JOUR, LES MANCHOTS ET LES PINGOUINS NE SE QUITTENT PLUS.

JACQUES DUQUENNOY.

ÎLE

FLOTTANTE

ALBIN MICHEL JEUNESSE

Aïe, Aïe, Aïe! Tout va mal!
Le moteur du *VA-VITE-ET-BIEN*
est cassé.

Nage-vite et Plonge-bien
n'ont plus assez d'argent
pour le remplacer.

– Que faire?
dit Plonge-bien.
– Nous verrons demain,
dit Nage-vite.
La nuit porte conseil.

Cette nuit-là, comme toutes les nuits d'été,

au pôle Nord, le soleil ne se couche pas.

Émerveillés par un si beau spectacle
ils s'endorment…

sans se rendre compte
qu'un morceau de banquise
s'est détaché.

Tous les pingouins
et tous les manchots
restés sur la banquise
sont très inquiets.

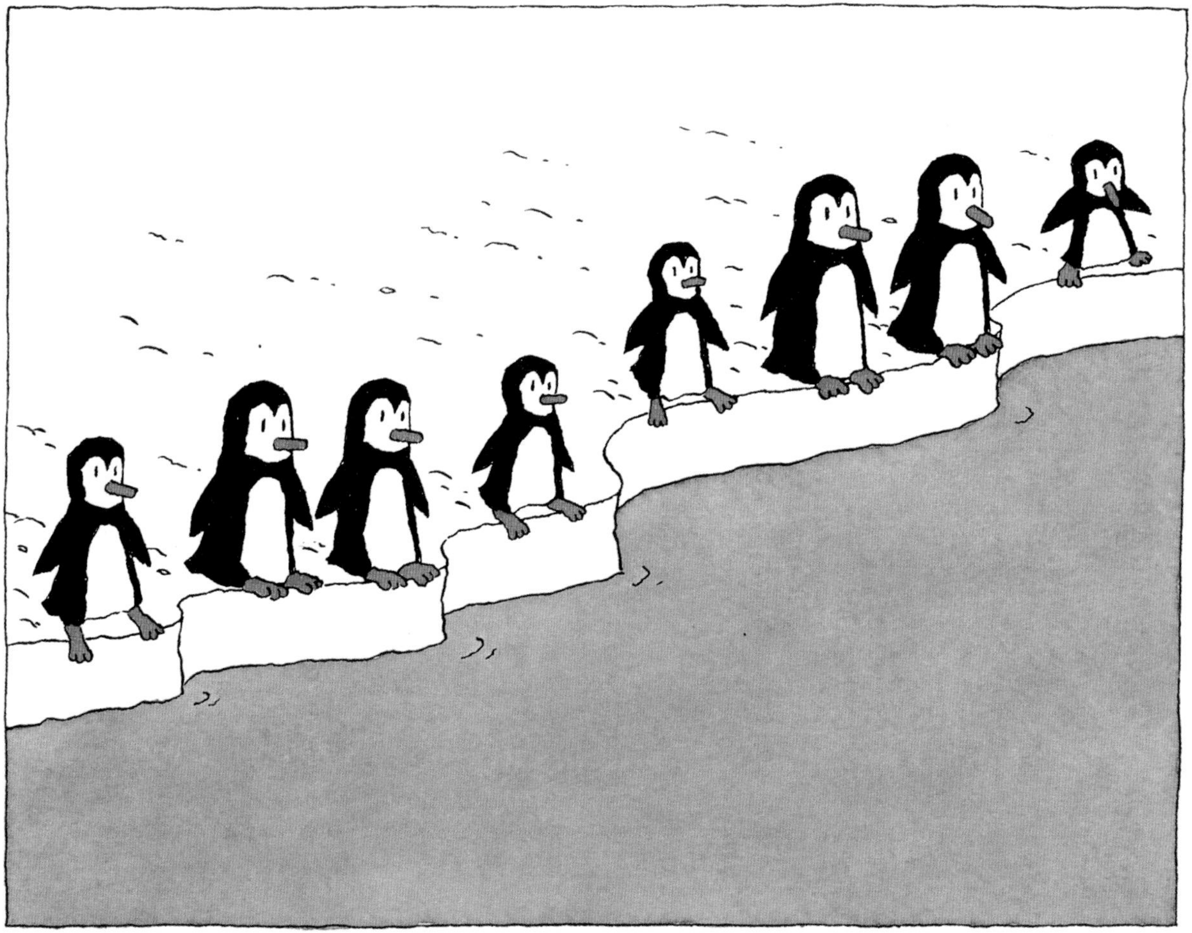

Il n'y a pas à hésiter :

il faut fabriquer un radeau
et partir à leur recherche.

Aussitôt dit…

aussitôt fait !

Lorsque Nage-vite
et Plonge-bien se réveillent,
ils comprennent ce qui leur est arrivé :
ils ont dérivé et se retrouvent
au milieu
de l'océan glacial Arctique.

Mais ils ont décidé
de prendre la vie du bon côté.

– Ça va nous faire des vacances !

Un peu de pêche à la ligne.

Un peu de piscine, c'est la belle vie.

Au bout d'un moment,
Nage-vite dit :

– Maintenant, je m'ennuie,
je voudrais bien rentrer.

– Oui, mais comment ?

– Regarde, un macareux… Hé, nous sommes perdus!

Peux-tu chercher du secours ? – Pas de problème !

– Je crois que notre
iceberg fond !

– J'ai peur !
– Moi aussi !

Le courageux macareux retrouve l'équipe de sauvetage…

– Ils sont dans cette direction !

– Notre iceberg fond de plus en plus.

– Eh, arrête de bouger ! – Au secours !

– Viens voir au fond
de l'eau :
j'ai vu une épave.

– On dirait qu'il
y a quelque chose
qui brille…

– Quelle chance !
Un trésor !

Pendant ce temps-là…

– Je vois l'iceberg de Nage-vite et Plonge-bien !

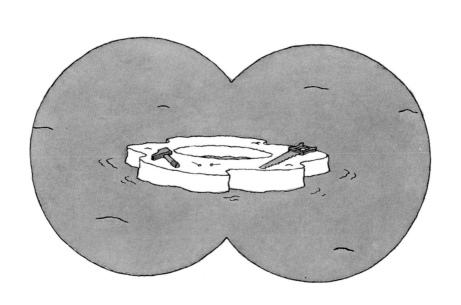

– Il est vide !

– Les malheureux, ils ont disparu !

– Hé, nous sommes là !

Tout le monde plonge de joie !

– Nous avons vu un trésor au fond de l'eau !

Nage-vite et Plonge-bien
ont de l'aide
pour remonter le trésor.

Mais… que vont-ils faire
de tout cet argent ?

Acheter un moteur neuf et réparer le bateau !

Nage-vite et Plonge-bien
ont un nouvel ami.

– Au fait, tu ne nous
as pas encore dit
ton nom !

– Tous les macareux
m'appellent Vole-loin.

Vole-loin propose
aux pingouins et
aux manchots
de rendre visite à
ses amis macareux.

C'est l'occasion pour
Nage-vite et Plonge-bien
d'essayer le bateau
équipé de son
nouveau moteur.

– Regardez là-bas !
dit Vole-loin.

– Avez-vous vu ce
   qu'il reste de l'iceberg
   de Nage-vite et
   Plonge-bien ?

Presque plus rien !

Dans la collection Panda poche :

8 Petites Ballerines
Grace Maccarone/Christine Davenier

9 Petites Ballerines et 1 prince
Grace Maccarone/Christine Davenier

21 Éléphants sur le pont de Brooklyn
April Jones Prince/François Roca

Balade de Max (La)
Gauthier David/Marie Caudry

Dîner fantôme (Le), Jacques Duquennoy

Été de Garmann (L'), Stian Hole

Fée Coquillette aime les histoires d'amour (La)
Didier Lévy/Benjamin Chaud

Fée Coquillette et la Maison du bonheur (La)
Didier Lévy/Benjamin Chaud

Fée Coquillette et l'Arbre-école (La)
Didier Lévy/Benjamin Chaud

Fée Coquillette fait la maîtresse (La)
Didier Lévy/Benjamin Chaud

Granpa, John Burningham

Île flottante, Jacques Duquennoy

Je mange, je dors, je me gratte, je suis un wombat
Jackie French/Bruce Whatley

Maé et le Lamantin, Alex Godard

Maman-dlo, Alex Godard

Marre du rose, Nathalie Hense/Ilya Green

Mohamed Ali champion du monde
Jonah Winter/François Roca

Moi Dieu Merci qui vis ici
Thierry Lenain/Olivier Balez

Monsieur Ours qui pue des pieds, Merlin

Mystère des graines à bébé (Le)
Serge Tisseron/Aurélie Guillerey

Perdu !, Antonin Louchard

Péronnille, la chevalière
Marie Darrieussecq/Nelly Charles-Blumenthal

Petite Sœur Grande Sœur, LeUyen Pham

Petites Ballerines et la Belle au bois dormant (Les)
Grace Maccarone/Christine Davenier

Petit Pâtissier (Le), Lars Klinting

Peut-on faire confiance à un crocodile affamé ?
Didier Lévy/Coralie Gallibour

Pipi de nuit, Christine Schneider/Hervé Pinel

Pôle Nord pôle Sud, Jacques Duquennoy

Popotin de l'hippopo (Le)
Didier Lévy/Marc Boutavant

Rex et Moi, Fred Bernard/François Roca

Secret de Jeanne (Le), Arnaud Alméras/Robin

Solinké du grand fleuve
Anne Jonas/François Roca

Tapis en peau de tigre (Le), Gerald Rose

Trois Sœurs casseroles (Les)
Marie Nimier/Frédéric Rébéna

Une petite oie pas si bête
Caroline Jayne Church

Wahid, Thierry Lenain/Olivier Balez

© 1997, Albin Michel Jeunesse, 2016 pour la présente édition poche, 22, rue Huyghens, 75014 Paris

Blog : albinmicheljeunesse.blogspot.fr – Loi n° 49-956 du 16 juillet 1949 sur les publications destinées à la jeunesse

Dépôt légal : premier semestre 2016 – N° d'édition : 11817 – ISBN-13 : 978-2-22632744-4 – ISSN : 2272-5199 – Imprimé en France par Pollina s.a. - L76199A.